Tudur Budr

Budr

Sgrech!

I Helen ~ D R

I Lorin, gyda dymuniadau da ~ A M

Cyhoeddwyd yn 2012 gan Stripes Publishing,
argraffnod Little Tiger Press, 1 The Coda Centre,
189 Munster Road, Llundain SW6 6AW

Teitl gwreiddiol: *Dirty Bertie – Scream!*

Cyhoeddwyd yn Gymraeg yn 2014 gan
Wasg Gomer, Llandysul, Ceredigion SA44 4JL
www.gomer.co.uk

ISBN 978 1 84851 762 2

Cyhoeddwyd gyda chymorth ariannol
Cyngor Llyfrau Cymru.

Argraffwyd a rhwymwyd yng Nghymru gan
Wasg Gomer, Llandysul, Ceredigion SA44 4JL

Tudur Budr

Budr

Sgrech!

DAVID ROBERTS · ALAN MACDONALD
Addasiad Gwenno Mair Davies

Gomer

Casglwch lyfrau
Tudur Budr i gyd!

Cynnwys

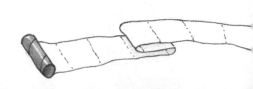

SGRECH!

PENNOD 1

Neidiodd Tudur o'i guddfan y tu ôl i'r drws gyda bloedd annaearol a fyddai'n ddigon i oeri gwaed unrhyw un.

'RAAAAAAA!'

'AAAAA!' sgrechiodd Mam, gan dasgu ei choffi dros bob man. 'Tudur! Ddylet ti ddim gwneud hynny, fe wnest ti fy nychryn i!'

'Fy mwgwd bwystfil i ydi o,' meddai Tudur. 'Mae o i *fod* i dy ddychryn di.'

7

Tudur Budr

Tynnodd Tudur y mwgwd. Roedd o'n wych – yn wyrdd llachar gyda chlustiau pigog, dannedd melyn a thri llygad. Roedd o'n ysu am gael ei ddangos i'w ffrindiau.

'O ble gest ti o?' holodd Mam.

'O'r siop. Ar gyfer Calan Gaeaf mae o,' meddai Tudur. 'Dwi am fynd o gwmpas tai pobl er mwyn cael gwneud da-da neu dric.'

'O na, dwyt ti ddim,' meddai Mam.

Rhythodd Tudur arni'n gegagored. 'Pam ddim?'

'Oherwydd llynedd fe gawson ni gŵynion,' atebodd Mam. 'Bu bron i ti roi trawiad ar y galon i Mrs Melys.'

'Nid fy mai i oedd hynny,' protestiodd Tudur. Sut oedd posib iddo wybod bod gan Mrs Melys ofn ystlumod? Hyd yn oed y rhai plastig. Doedd gan rai pobl ddim synnwyr digrifwch!

'Beth bynnag, mae Darren ac Eifion yn

Tudur Budr

mynd,' meddai Tudur. 'Dwi wedi
addo iddyn nhw.'

'Does dim ots gen i beth wyt ti
wedi'i addo,' atebodd Mam. 'A ph'run
bynnag, mae cyngerdd Siwsi heno
ac ry'n ni'n mynd iddo.'

'Beth – a fi?' holodd Tudur.

'Na, rwyt ti'n aros
gartre. Mae Nain am
ddod i dy warchod
di,' meddai Mam.
'Mi gewch chi
wylio ffilm neis
gyda'ch gilydd.'

Griddfanodd Tudur. Gwylio ffilm
gyda Nain – ar noson Calan Gaeaf? Fedrai
hi ddim bod o ddifri! Byddai pawb arall yn
mynd o gwmpas yn gwneud da-da neu
dric. A Chalan Gaeaf oedd y noson orau
un am felysion. Taffis, licris, lolipops –

Tudur Budr

roedd pob tŷ yn rhoi melysion ar noson
Calan Gaeaf. Petai o'n colli'r noson hon,
byddai'n colli'r cyfan!

'Beth am Darren ac Eifion?' holodd. 'Fedran
nhw ddim mynd hebddo i!'

'Wel, os wyt ti'n poeni cymaint am hynny,
pam na wnei di eu gwahodd nhw yma?
Mi gewch chi barti Calan Gaeaf. Gwisgo i
fyny a chwarae gêmau,' meddai Mam.

Doedd Tudur ddim wedi'i ddarbwyllo. 'Ond
beth am y da-da?' holodd. 'Ry'n ni wastad yn
cael llwyth o felysion ar noson Calan Gaeaf!'

'O'r gorau,' ochneidiodd Mam. 'Mi estynna i
ychydig o fisgedi a diod oren i chi.'

Stompiodd Tudur o'r ystafell gan afael yn
dynn yn ei fwgwd bwystfil. Diod o oren ac
ychydig o fisgedi pitw? Hon fyddai'r noson
Calan Gaeaf waethaf erioed!

PENNOD 2

Am chwech o'r gloch, eisteddai Tudur a'i ben yn ei blu wrth i'w rieni baratoi i fynd allan.

'Iawn,' meddai Mam. 'Dwi wedi gadael peli llygaid jeli i unrhyw un sy'n galw heibio'n mynnu da-da neu dric. Dwi'n dy adael di yng ngofal hynny, Tudur.'

'Ond dydi hynny ddim yn golygu dy fod ti'n cael eu bwyta nhw,' rhybuddiodd Dad.

'Ddim hyd yn oed un?' holodd Tudur.

Tudur Budr

'Na! Maen nhw ar gyfer pobl sy'n dod at y drws,' meddai Mam. 'Bydd Nain yn cadw llygad arnat ti, yn byddwch, Nain?'

'Mmm?' mwmialodd Nain a'i holl sylw wedi'i hoelio ar *Campau'r Cŵn* ar y teledu. 'Byddaf, i ffwrdd â chi. Mi fyddwn ni'n iawn, yn byddwn, Tudur?'

Caeodd y drws yn glep. Llusgodd Tudur ei draed tua'r gegin a syllu ar y peli llygaid jeli yn y fowlen. Artaith lwyr oedd gadael melysion nad oedd o'n cael eu bwyta ar y bwrdd. Roedd o'n weddol sicr mai fo oedd yr unig un o'i ddosbarth oedd wedi'i amddifadu o hwyl a danteithion Calan Gaeaf gan ei rieni. Bydden nhw'n siŵr o ddysgu eu gwers petai o'n llwgu i farwolaeth!

DING DONG!

Brysiodd Tudur at y drws. Ei ffrindiau oedd yno. Roedd Eifion wedi gwisgo fel ysbryd, ac roedd Darren wedi dod fel Sblat-ddyn.

'DA-DA NEU DRIC!' gwaeddodd y ddau.

Safodd Tudur yno a'i ysgwyddau'n llipa. 'Dwi ddim yn cael dod allan.'

'BETH? Pam ddim?' llefodd Darren.

Cododd Tudur ei ysgwyddau. 'Wnaiff Mam ddim gadael i mi.'

'Ond mae'n rhaid i ti, ry'n ni am fynd o gwmpas yn mynnu da-da neu dric!' meddai Eifion, oddi tan ei flanced wen.

'Dwi'n gwybod!' ochneidiodd Tudur. 'Nid fy mai i ydi o. Mae Mam wedi dweud y gallwn ni aros yma. Mae Nain yn gwarchod.'

Tudur Budr

Edrychodd Darren ac Eifion ar ei gilydd. Doedd hynny ddim yn dod yn agos at yr hyn oedd ganddyn nhw mewn golwg.

'Oes gen ti felysion?' holodd Darren.

'Peli llygaid jeli,' meddai Tudur, dan nodio'i ben. 'Ond dwi ddim yn cael eu cyffwrdd nhw. Maen nhw ar gyfer pobl sy'n dod at y drws.'

Cododd Darren ei ysgwyddau. 'Ry'n ni wedi dod at y drws.'

'Mae hynny'n wir,' cytunodd Tudur. 'Ac erbyn meddwl, dwi wedi dod at y drws i'ch gadael chi i mewn.'

'Yn union,' meddai Darren.

Deng munud yn ddiweddarach ac roedd y danteithion wedi diflannu. Eisteddai'r tri wrth fwrdd y gegin, yn syllu ar y lantern bwmpen roedd Tudur wedi'i chreu. Ochneidiodd Darren yn ddwfn.

Tudur Budr

'Mae hyn yn ddiflas! Dylen ni fod allan yn mynnu da-da neu dric.'

Rholiodd Tudur ei lygaid. 'Sawl gwaith sydd raid i mi ddweud? Dwi ddim yn cael.'

'Ond, ry'n ni'n cael,' meddai Darren.

Rhythodd Tudur arno.

'Gallen ni alw heibio tŷ Dyfan Gwybod-y-Cyfan a'i ddychryn o,' meddai Eifion.

Eisteddodd Tudur yn dalsyth, mwya sydyn. Roedd o wedi cael syniad campus. Gallai gael ei grafangau ar dunnell o bethau melys heb adael y tŷ wedi'r cyfan.

Tudur Budr

'Mae gen i syniad!' llefodd. 'Tŷ'r Ysbrydion!'

'Be?' holodd Eifion. 'Ble?'

'Yma!' atebodd Tudur. 'Mi wnawn ni dŷ fel yr un yn y ffair.'

'Fel yr un gyda'r gerddoriaeth arswydus a'r chwerthiniad brawychus, wyt ti'n feddwl,' meddai Darren. 'MWA-HA-HA-HA!'

'Ie! A gwe pry cop a chypyrddau llawn sgerbydau!' meddai Tudur.

Edrychodd Eifion yn amheus. 'Ond pwy sy'n debygol o'i weld o?' gofynnodd.

'Unrhyw un sy'n galw heibio'n mynnu da-da neu dric!' eglurodd Tudur yn llawn cyffro. 'A dyma'r rhan orau – mi fydd yn rhaid iddyn nhw dalu â'u da-da i ddod i mewn.'

Gallai ddychmygu'r cyfan – tŷ'r ysbrydion gyda grisiau'n gwichian a drysau'n crynu. Gwrachod yn yr atig, ysbrydion yn yr ystafelloedd gwely a sombis yn yr ystafell ymolchi. Byddai'n fwy dychrynllyd na Miss Jones ar fore dydd Llun.

Tudur Budr

Unwaith y byddai'r si ar led, byddai pobl yn creu rhesi i lawr y stryd er mwyn dod i mewn. Byddai'r losin yn llenwi'r tŷ.

'Ond, aros funud,' meddai Darren. 'Beth am yr ysbrydion?'

'Galla i fod yn ysbryd,' llefodd Eifion, gan blymio o dan ei flanced. 'WWWW! WWWWW!'

Ochneidiodd Tudur. Prin y byddai gweld Eifion yn dynwared ysbryd yn dychryn plentyn dwy oed. Na, byddai'n rhaid iddyn nhw feddwl am rywbeth hollol arswydus, rhywbeth fyddai'n gyrru ias i lawr cefnau pobl.

'Beth petai un ohonon ni'n gwisgo fel fampir?' awgrymodd Darren.

'Neu sgerbwd,' cynigiodd Eifion.

'Dwi'n gwybod!' gwaeddodd Tudur. 'Beth am . . . FYMI!'

Gwych! Roedden nhw wedi bod yn astudio hanes yr Aifft yn yr ysgol, a mymis

oedd y pethau
mwyaf arswydus
ar dir y
byw (neu'r
meirwon, a
bod yn fanwl
gywir). Dychmygwch
y cyfan, meddyliodd Tudur
– bedd arswydus yn llawn
lluniau a cherfluniau
rhyfedd . . . ac yna caead
arch yn llithro'n agored a
rhywbeth ofnadwy o frawychus yn codi'n araf
o'r tywyllwch. Mymi hynafol, sy'n filiwn
blwydd oed . . .

'Gallai hyn weithio,' meddai Darren. 'Ond
pwy fydd y mymi?'

'Nid fi,' atebodd Eifion ar frys. 'Dwi ddim
am orwedd mewn arch. Fyddai Mam ddim yn
hoffi hynny.'

18

Tudur Budr

'Wel, alla i ddim,' meddai Tudur. 'Mi fydd yn rhaid i mi agor y drws i bobl. Felly bydd yn rhaid i Darren wneud.'

'Fi?' cwynodd Darren. 'Byddai'n well gen i fod yn Sblat-ddyn.'

I fyny'r grisiau yn ystafell wely Tudur, cymerodd y bechgyn gam yn ôl i edmygu eu gwaith. Roedd Darren wedi'i orchuddio o'i gorun i'w sawdl â phapur toiled. Dim ond ei geg oedd yn y golwg, a chudyn o'i wallt yn sticio i fyny fel pen moronen. Roedd Tudur yn meddwl ei fod yn edrych yn hynod o arswydus – fyddai o'n sicr ddim yn hoffi ei gyfarfod mewn bedd tywyll, dwfn.

'Gwych!' meddai. 'Dwed rywbeth.'

'WAAAAAAA!' cwynodd Darren, gan nad oedd yn gallu siarad Eiffteg yn rhugl iawn.

'Ddim yn ddrwg. Ceisia gerdded o gwmpas,' meddai Eifion.

Tudur Budr

Cododd Darren ei freichiau a'i draed o'i flaen a cherdded fel mymi, gan adael darnau o bapur toiled yma ac acw.

'WAAA … WAAAAA … AWWW!' llefodd, wrth iddo daro'i droed yn erbyn y gwely. Roedd hi'n anodd iawn gweld lle roedd o'n mynd ac yntau wedi'i lapio mewn papur toiled.

'Mae'n iawn,' meddai Tudur, gan ei dywys i'r cyfeiriad cywir. 'Does dim angen i ti fedru gweld. Dim ond gorwedd yn llonydd ac actio'n farw.'

PENNOD 3

DING DONG! Roedd eu cwsmeriaid cyntaf wedi cyrraedd.

Llamodd Tudur i lawr y grisiau a sglefrio i'r cyntedd.

'Glywais i gloch y drws?' holodd Nain, gan daro'i phen heibio drws yr ystafell fyw.

'Mae'n iawn, mi af i,' meddai Tudur. 'Mae'n siŵr mai pobl yn mynnu da-da neu dric fydd yno.'

Tudur Budr

Pwy oedd wrth y drws ond Dyfan
Gwybod-y-Cyfan, wedi'i wisgo fel anghenfil
Frankenstein. Roedd ganddo wyneb gwyrdd,
craith hyll a dwy follten blastig yn ei wddf.
Credai Tudur ei fod yn welliant mawr ar ei
edrychiad arferol. Llygadodd y bag gorlawn
o felysion yn llaw Dyfan.

'O, ti sydd yma,' gwawdiodd Dyfan. 'Da-da
neu dric?'

'Aros am eiliad,' meddai Tudur.

Diflannodd cyn dychwelyd gyda hanner
bisgeden yn ei law.

Tudur Budr

'Beth ydi hwn? Ble mae fy melysion i?' gwaeddodd Dyfan.

'Ymm . . . mae rhywun wedi'u bwyta nhw,' meddai Tudur.

Plethodd Dyfan ei freichiau. 'Mae'n rhaid i ti roi danteithion i mi, neu dydw i ddim am adael.'

'Iawn,' meddai Tudur. 'Wyt ti eisiau gweld rhywbeth arswydus?'

'Beth, dy wyneb di?' chwarddodd Dyfan.

'Na,' meddai Tudur. Edrychodd o'i amgylch cyn sibrwd. 'Tŷ'r Ysbrydion!'

'O, HA!' chwarddodd Dyfan. 'Ble?'

'Rwyt ti'n edrych arno fo,' meddai Tudur. 'Y tŷ mwyaf arswydus yn y byd. Dylet ti ddod yma gyda'r nos. Dwi wedi gweld pethau a fyddai'n ddigon i godi gwallt dy ben.'

'Beth?' ebychodd Dyfan.

'Ysbrydion,' hisiodd Tudur.

Tudur Budr

Llyncodd Dyfan ei boer. Doedd o erioed wedi gweld ysbryd o'r blaen.

'Dwi ddim yn dy gredu di,' wfftiodd. 'Profa fo.'

'Cama'r ffordd yma,' meddai Tudur. 'Dim ond deg peth melys am daith o amgylch Tŷ'r Bwganod Brawychus.'

'DEG PETH MELYS?' sgrechiodd Dyfan.

'Wyth i blant,' meddai Tudur.

Gwgodd Dyfan. Un o driciau Tudur oedd hyn er mwyn gwneud ffŵl ohono. Doedd yna ddim peryg ei fod yn rhannu tŷ ag ysbrydion. Ar y llaw arall, beth os nad oedd o'n palu celwyddau? Wedi'r cyfan, roedd hi'n Galan Gaeaf, y noson pan oedd ysbrydion ac ellyllon yn crwydro'r ddaear.

'O'r gorau,' meddai Dyfan, gan agor ei fag o ddanteithion. 'Ond dwi'n eu cyfri nhw.'

Tudur Budr

Helpodd Tudur ei hun i dri da-da lliwgar, lolipop a llond llaw o losin sur blas lemwn. Yna aeth â Dyfan i fyny'r grisiau lle safai Eifion a'r lantern o bwmpen. Roedd y goleuadau wedi'u diffodd a'r drws i ystafell Tudur ar gau.

'Beth sydd yno?' holodd Dyfan, yn nerfus.

'Cei di weld yn fuan iawn,' meddai Tudur. 'Aros yma am eiliad.'

DING DONG!

Rhwbiodd Tudur ei ddwylo. Grêt – mwy o gwsmeriaid! Brysiodd i lawr y grisiau. Wrth y drws roedd Arianrhod Melys a'i ffrind Lora, a'r ddwy wedi'u gwisgo fel gwrachod.

'Da-da neu dric!' canodd y ddwy.

'Mi ddangosa i rywbeth da i chi,' meddai Tudur. 'Sut hoffech chi weld tŷ ysbrydion?'

'Ysbrydion?' llefodd Arianrhod, a'i llygaid yn fawr. 'Ydyn nhw'n frawychus?'

'Brawychus iawn,' meddai Tudur. 'Ond, hwyrach eich bod chi'n rhy ifanc.'

'Dydw i ddim! Mi fedra i gau fy nghareiau
fy hun,' broliodd Arianrhod.

'Hmm,' meddai Tudur. 'O'r gorau, ond mae'n
costio deg peth melys yr un.'

Edrychodd Arianrhod a Lora ar ei gilydd.
Roedd hynny'n lot fawr o losin.

'O'r gorau!' sibrydodd Arianrhod.

Ysgydwodd Lora ei phen.

Tudur Budr

'Mae'r daith ar fin dechrau,' meddai Tudur.

Llwyddodd y tric. Camodd Arianrhod i'r tŷ. Helpodd Tudur ei hun i felysion o'u bagiau. Roedd hyn yn hawdd! Gallen nhw gael digon o losin i bara am wythnos gyfan mewn dim o dro.

PENNOD 4

Arhosai Dyfan, Arianrhod a Lora wrth ddrws ystafell wely Tudur. Roedden nhw wedi cael gorchymyn i gau eu llygaid yn dynn.

'Fydd hi'n dywyll yno?' holodd Lora, a'i llais yn grynedig.

'Tywyll IAWN,' meddai Tudur. 'Does dim golau mewn tŷ ysbrydion.'

'Sut wyt ti'n gwybod bod ysbrydion yma?' gofynnodd Arianrhod.

Tudur Budr

'Dwi wedi clywed pethau,' meddai Tudur. 'Sŵn griddfan a chwynfan.'

'A sŵn traed,' ychwanegodd Eifion.

'Hy!' wfftiodd Dyfan. 'Roeddwn i'n meddwl i ti ddweud dy fod ti wedi gweld ysbryd go iawn.'

'Dwi wedi,' meddai Tudur. 'Ysbryd erchyll heb lygaid.'

Gwichiodd Lora.

'Fyddwn ni'n ei weld o?' holodd Arianrhod.

'Efallai,' meddai Tudur. 'Dim ond os rydych chi'n hollol dawel, ac yn peidio â'u cyffwrdd na'u procio y mae ysbrydion yn dod i'r golwg. Barod?'

Rhoddodd ei law ar handlen y drws.

Gwnaeth Dyfan yn siŵr ei fod o'n aros yn y cefn, rhag ofn. Gwichiodd y drws yn agored a sleifiodd pob un i mewn.

'Agorwch eich llygaid,' sibrydodd Tudur yn eu clustiau.

Ebychodd y tri. Roedd yr ystafell bron mor dywyll â bol buwch, gyda dim ond canhwyllau persawrus Mam wrth y wal yn ei goleuo. Gorweddai rhywbeth ar y gwely, wedi'i orchuddio â blanced.

'Wele, gartref arswydus y mymi,' meddai Tudur yn ddramatig.

'Roeddwn i'n meddwl i ti ddweud mai ysbrydion oedd yma,' cwynodd Dyfan.

Tudur Budr

'Mae mymis yn ysbrydion,' eglurodd Tudur.
'Mae pawb yn gwybod hynny.'

Gafaelodd Lora'n dynn yn llaw Arianrhod.
'Dwi ddim yn hoffi hyn,' llefodd. 'Gawn
ni fynd?'

Ond doedd Dyfan ddim wedi'i fodloni eto.

'Sut ydyn ni'n gwybod mai mymi sydd
yno?' holodd. 'Fedrwn ni ddim ei weld o, hyd
yn oed.'

Cododd Tudur ei fys at ei wefus. 'Mae'n rhaid
i ni siarad ag o,' meddai. 'Dywedwch y geiriau
hud ar f'ôl i . . . LEM-BOM-AWR-WY-FI.'

'LEM-BOM-AWR-WY-FI!' Llefarodd y criw
y geiriau hyn deirgwaith, ac yna aros mewn
tawelwch. Am ychydig eiliadau, ddigwyddodd
dim. Yna, mwya sydyn, daeth symudiadau oddi
tan y flanced. Yn araf, ac yn brennaidd,
cododd y ffigwr ar ei eistedd yn y gwely.
Disgynnodd y flanced oddi arno a throdd pen
mymiedig i'w hwynebu. Roedd Lora'n crio'n

Tudur Budr

dawel. Llyncodd Arianrhod ei phoer. Camodd Dyfan yn ei ôl tua'r drws.

Gwnaeth y mymi dychrynllyd sŵn griddfan uchel. 'WAAAA! PWY SY'N MEIDDIO FY NEFFRO I?' crawciodd y llais, wrth iddo godi o'r gwely.

'AAAAA!' sgrechiodd y merched mewn dychryn, gan daflu eu losin i bob cyfeiriad.

Tudur Budr

'GADEWCH FI ALLAN!' nadodd Dyfan, gan ollwng ei fag a rhuthro am y drws. Dihangodd pawb o'r ystafell, gan wibio i lawr y grisiau fesul tri gris. Cymerodd Dyfan gipolwg dros ei ysgwydd a gweld y mymi hynafol yn eu dilyn.

Tudur Budr

BANG! Caeodd y drws yn glep . . . chwarddodd Tudur ac Eifion yn uchel.

'HA HA! Welaist ti wyneb Dyfan?'

'Ac Arianrhod,' ebychodd Eifion. 'Ro'n i'n meddwl yn siŵr ei bod hi am wlychu ei gwisg gwrach!'

Aeth Tudur ar ei bedwar. 'Ac edrych beth maen nhw wedi'i adael ar ôl i ni – eu melysion i gyd.'

Casglodd y ddau eu gwobrau.

'Aros funud,' meddai Eifion, gan edrych o'i gwmpas. 'Ble mae Darren?'

I lawr y grisiau yn yr ystafell fyw, roedd Nain wedi hoelio ei sylw ar y teledu. Roedd ffilm arswydus am fampirod yn tynnu at ei diweddglo. Sleifiodd heliwr y fampirod i lawr y grisiau, i feddrod Cownt Draciwla. Yn y gornel, gorweddai arch o garreg.

Tudur Budr

Plygodd Nain yn nes at y teledu. Y tu ôl iddi
agorodd drws yr ystafell fyw.

'O, Tudur,' meddai. 'Tyrd i wylio, mae o ar fin
cyrraedd y rhan gyffrous!'

Estynnodd am lond llaw o greision.
Cyffyrddodd ei llaw â rhywbeth yn y fowlen.
Yn rhyfedd, doedd o ddim yn teimlo fel llaw
Tudur. Roedd o fel papur, ond yn deneuach,
fel llaw ...

'AAAAAAAAAAAAAA!'

PENNOD 1

SLAM! Roedd Tudur yn ei ôl o'r ysgol.
Suddodd i'r soffa. *Aaa, dydd Gwener!*
meddyliodd, gan bwyso botwm i ddeffro'r
teledu. *Oedd unrhyw beth yn y byd yn well?*
Roedd ganddo benwythnos hir a chyfan
o'i flaen ...

PLWP!

Aros funud, pwy ddiffoddodd y teledu?

Tudur Budr

'Tyrd yn dy flaen,' meddai Mam. 'Ry'n ni'n mynd i ffwrdd, cofio? Mae angen i ti bacio.'

'Mynd i ffwrdd i ble?' gofynnodd Tudur.

'Fel y dywedais i, ry'n ni am dreulio'r penwythnos yng nghefn gwlad.'

Griddfanodd Tudur yn uchel. Penwythnos yng nghefn gwlad? I beth? Onid oedd ei rieni'n gwybod sut le oedd cefn gwlad?

'Ond mae arna i eisiau aros yma!' cwynodd.

'Paid â bod yn wirion,' meddai Dad, wrth ddod drwy'r drws. 'Mi fyddi di wrth dy fodd.'

'Cael mynd am dro yn yr heulwen a'r awyr iach! Mi gawn ni gymaint o hwyl,' meddai Mam.

Tynnu ystumiau wnaeth Tudur. Roedd o'n gwybod yn iawn beth oedd gwir ystyr 'mynd am dro' – crwydro i fyny ac i lawr mynyddoedd mawr trwy wynt a glaw. Roedd o wedi bod yng nghefn gwlad o'r blaen a doedd dim byd i'w wneud yno. Dim parciau

Tudur Budr

antur na pharlyrau pitsa, dim ond milltiroedd
o fryniau, mwd a chaeau o wartheg. A doedd
dim posib hyd yn oed camu i ganol tail
gwartheg heb i rywun roi llond pen i chi.

'Oes raid i mi ddod?' grwgnachodd.

'Mi gawn ni hwyl!' meddai Mam. 'Ry'n ni
wedi cael lle mewn bwthyn gwledig hyfryd.'
Rhoddodd bamffled iddo.

Rhythodd Tudur ar y llun. Roedd y bwthyn
yng nghanol nunlle.

Bwthyn
y Blodau
y ddihangfa
BERFFAITH
o'r byd
(Dim plant yn
eu harddegau)

Tudur Budr

'Oes yna bwll nofio yno?' holodd.

'Na,' meddai Dad.

'Beth am sinema breifat?'

'Dwi'n amau hynny'n gryf,' chwarddodd Mam. 'Does dim teledu yno, hyd yn oed.'

DIM TELEDU? Oedden nhw'n hollol wallgof? Sut oedd posib iddo oroesi am benwythnos cyfan heb deledu? Byddai ei ymennydd yn siŵr o droi'n slwtsh. Roedd posibilrwydd mawr y gallai FARW o ddiflastod.

'Meddyliwch,' meddai Mam. 'Dau ddiwrnod llawn o lonydd a thawelwch!'

'Dwi am fynd â llyfrau efo fi i'w darllen,' meddai Siwsi, wrth ddod i mewn i'r ystafell fyw.

'Dwi am fynd â fy ysbienddrych efo fi,' meddai Dad. 'Gallwn ni fynd i wylio adar.'

Rholiodd Tudur ei lygaid. Gwylio adar? Byddai'n well ganddo wneud y jig-so mil o ddarnau hwnnw oedd gan ei Nain.

Edrychodd Dad ar ei oriawr, yn ddiamynedd.
'Os y'n ni am achub y blaen ar y traffig,
byddai'n well i ni fynd.'

'Ie, pacia'n sydyn, Tudur,' meddai Mam. 'Does
dim llawer o le yn y bagiau, felly tyrd â'r hyn
sydd ei angen yn unig.'

Stompiodd Tudur i fyny'r grisiau. Agorodd y
cwpwrdd a thaflu ambell ddilledyn mewn
pentwr. Beth ddywedodd Mam – dim ond yr

Tudur Budr

hyn sydd ei angen? Wel, byddai angen digon arno i'w gadw'n ddiddig am benwythnos yng nghefn gwlad – ei gasgliad o gomics yn gyntaf, yn ogystal â'r taclau Hela Dinosoriaid. Fedrai o ddim gadael yr Albwm Sticeri Bwystfilod ar ôl, na'r gêm Dal y Drewgi.

Ymlwybrodd o'i ystafell wrth i Mam ddod i fyny'r grisiau i weld beth oedd yn ei gadw cyhyd. Rhythodd arno. 'Beth ydi'r holl bethau hyn?'

'Fy mhethau i ar gyfer y penwythnos,' atebodd Tudur.

Tudur Budr

'Dillad oeddwn i'n ei feddwl,' meddai Mam. 'Does dim lle i'r holl bethau hyn!'

'Ond fydd gen i ddim i'w wneud!' cwynodd Tudur.

'Rho nhw 'nôl!' meddai Mam. 'Dim ond y pethau hanfodol, ddywedais i.'

Brysiodd yn ei hôl i lawr y grisiau.

Ochneidiodd Tudur. Doedd hyn ddim yn deg. Roedd Siwsi'n cael mynd â'i llyfrau a'i chas o bensiliau Miss Miaw. Pam na châi o fynd â'r hyn roedd o ei eisiau? Edrychodd ar y bagiau mawr boliog. Roedd un yn llawn o ddillad, a'r llall yn llawn o offer cerdded, yn cynnwys esgidiau, hetiau a dillad glaw. Gwgodd Tudur. 'Pethau hanfodol' roedd Mam wedi'i ddweud. Ond oedd esgidiau cerdded yn hanfodol? Neu ddillad glaw? Gallai Tudur yn sicr fyw hebddyn nhw. Gwagiodd y bag, gan guddio'r esgidiau a'r cotiau yng nghwpwrdd Dad. Roedd ganddo le bellach

Tudur Budr

i bethau gwir hanfodol – fel ei gasgliad o gomics a gêmau. Fory, pan fyddai pawb yn mwynhau gêm o Dal y Drewgi, byddai ei deulu'n ddiolchgar iddo.

'TUDUR!' galwodd Mam. 'Wyt ti wedi pacio? Rydyn ni'n barod i adael!' Caeodd Tudur y bag yn sydyn. 'Dod!' gwaeddodd.

PENNOD 2

Stwffiodd Tudur i'r sedd gefn a chau drws
y car yn glep.

'O'r diwedd,' meddai Dad, wrth daro'i
fysedd yn erbyn y llyw.

Taniodd yr injan ac i ffwrdd â nhw i lawr
y ffordd.

Edrychodd Tudur o'i amgylch yn ddryslyd.

'Ble mae Chwiffiwr? Ydi o'n dod?'

Tudur Budr

GWIIIIIIIICH!

Sgrechiodd y car a dod i stop. Edrychodd Dad ar Mam.

'Ro'n i'n meddwl dy fod ti wedi'i roi o yn y car,' meddai.

'Na, fe adewais i hynny i TI,' brathodd Mam. 'Fi baciodd bopeth arall.'

Gyrrodd y car yn ôl tua'r tŷ. Roedd Chwiffiwr yn dal i chwyrnu ar ei glustog yn y gegin. Llusgodd Tudur o i'r car a'i wthio i'r sedd gefn. Unwaith roedd pawb yn y car, roedd hi'n eithaf cyfyng yno.

Tudur Budr

'Mae Tudur yn cymryd y lle i gyd!' cwynodd Siwsi, wrth iddyn nhw fynd ar eu taith.

'Dydw i ddim!' llefodd Tudur.

'TUDUR!' ochneidiodd Mam. 'Paid â chythruddo dy chwaer. Symud draw.'

'Chwiffiwr ydi'r broblem,' meddai Tudur. 'Mae o'n gorweddian drosta i!'

Trodd Mam ei phen i edrych. 'Peidiwch â dechrau ffraeo. Mae siwrnai hir o'n blaenau ni.'

'Pa mor bell eto?' holodd Tudur.

'Dydyn ni ddim wedi cyrraedd gwaelod ein stryd ni eto!' meddai Dad. 'A rho'r gorau i gicio fy sedd i, Tudur!'

Gwingodd Tudur yn ei gadair, yn ceisio gwneud ei hun yn gyfforddus. Roedd yn gas ganddo siwrnai hir mewn car. Pam fod yn rhaid i gefn gwlad fod mor bell? A pham nad oedd ei rieni'n prynu car mwy? Un o'r limos

Tudur Budr

hir, du hynny gyda digon o le ynddo i'w ffrindiau i gyd.

Stwffiodd ei ben heibio'r ddwy sedd flaen. 'Dwi bron â llwgu!'

'Wel, mi fydd yn rhaid i ti aros,' meddai Mam. 'Mi fyddwn ni'n bwyta ar ôl cyrraedd.'

'Ond mi fyddwn ni am oesoedd yn ceisio cyrraedd cefn gwlad!' protestiodd Tudur.

Ochneidiodd Mam yn drwm. 'Mae ambell beth yn y bag bwyd, ond paid â stwffio, neu mi fyddi di'n sâl.'

Daeth Tudur o hyd i'r bag o dan sedd Mam. Chwalodd drwyddo hyd nes iddo ddod o hyd i'r creision. Iymi! Roedd yno fisgedi siocled hefyd. Doedd neb arall i'w weld eisiau bwyd, a golygai hynny fwy iddo fo.

Cyrhaeddon nhw'r draffordd a chael eu hunain yng nghefn tagfa o geir oedd yn ymestyn am filltir.

Caeodd Mam ei llygaid. 'Fedra i ddim *credu* hyn!'

Tudur Budr

Gafaelodd Dad yn dynn yn y llyw. 'Mi ddywedais i y dylen ni fod wedi gadael yn gynt.'

'Wel, y tro nesaf, hwyrach y dylet TI bacio,' brathodd Mam.

'Fi baciodd fy stwff i!' meddai Tudur. Doedd neb wedi'i longyfarch o. Stwffiodd fwy o greision i'w geg. 'Pam ydyn ni wedi stopio?'

'RY'N NI WEDI EIN DAL MEWN TRAFFIG!' gwaeddodd Mam a Dad yr un pryd.

'Dim ond gofyn oeddwn i!' meddai Tudur. Wir, roedd rhai pobl mor bigog!

Tudur Budr

Anadlodd Mam yn ddwfn, ac agor poced flaen y car. 'Beth am i ni i gyd wrando'n dawel ar dâp stori?' awgrymodd.

'IEEEE!' gwaeddodd Tudur. 'Brwydr y Bwystfil!'

'Ti gafodd ddewis y tro diwethaf!' llefodd Siwsi. 'Clwb y Merlod!'

'Bwystfil!'

'Merlod!'

'BWYST-FIL! BWYST-FIL! BWYST-FIL!' llafarganodd Tudur, gan boeri creision dros y lle.

'TAWELWCH!' gwaeddodd Mam. 'Os na fedrwch chi gytuno, fyddwn ni ddim yn gwrando ar yr un ohonyn nhw.'

Eisteddodd pawb mewn tawelwch llethol am ennyd. Trodd Mam fotwm y radio, a llenwyd y car â sain cerddoriaeth piano plonclyd. O'r diwedd, dechreuodd y traffig symud eto. Darllenodd Tudur un o'i gomics, wrth i Chwiffiwr gysgu ar ei gôl. Roedd darllen wrth deithio yn tueddu i wneud i

Tudur Budr

Tudur deimlo'n sâl, ond dim ond pan oedd o wedi bwyta gormod. Yn ffodus, dim ond tri bag o greision a phaced cyfan o fisgedi siocled roedd o wedi'u bwyta.

GYRGL-GYRGL-GYRGL.

Daeth sŵn rymblan o stumog Tudur.

BYYYRP!

Erbyn meddwl, doedd o ddim yn teimlo'n dda iawn.

Tudur Budr

'Mam!' llefodd Siwsi. 'Mae Tudur wedi troi'n wyrdd!'

'BETH?' ebychodd Mam, gan droi i edrych.

'Mae o am fod yn sâl!' cwynodd Siwsi.

Anadlodd Tudur yn ddwfn. Gwthiodd ei law yn dynn dros ei geg. Roedd ei stumog yn byrlymu fel cawl berwedig.

'STOPIA'R CAR!' gwaeddodd Mam.

'Ble?' meddai Dad. 'Agor y ffenest, Tudur! Anadla'n ddwfn!'

Trawodd Tudur ei ben drwy'r ffenest. Anadlodd ddau lond ceg o aer. Roedd hynny wedi helpu rhywfaint. Eisteddodd yn ei ôl a'i ben yn ei ddwylo.

'Ceisia ddal am ychydig,' meddai Dad. 'Dim ond am funud neu ddau eto ... Ry'n ni bron iawn â chyrraedd y –'

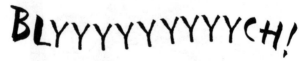

BLYYYYYYYYYCH!

Roedd Tudur yn sâl.

Yn ffodus, aeth y rhan fwyaf o'r chŵd ar y llawr yn hytrach na drosto fo.

'YCH A FI!' nadodd Siwsi, gan roi ei dwylo dros ei llygaid. 'MAE O'N DREWI!'

Gadawodd Dad y draffordd, a chyrraedd gorsaf betrol.

PENNOD 3

Roedd hi'n dywyll. Roedd hi'n hwyr. Teimlai
Tudur fel petaen nhw wedi bod yn y car am
wythnosau. Roedd o'n teimlo'n well erbyn hyn,
er bod y car yn dal i ddrewi o chŵd. Roedd
Mam y tu ôl i'r llyw erbyn hyn, a Dad yn
pendroni dros y map. Syllodd Tudur yn ddiflas
drwy'r ffenest ar y caeau'n gwibio heibio.

'Pa mor bell eto?' ochneidiodd yn flinedig.

Tudur Budr

'Ddim yn bell,' atebodd Mam. 'Cyn belled nad ydi eich tad wedi colli'r ffordd yn llwyr.'

'Dwi'n gwybod yn union lle ydyn ni,' meddai Dad. 'Rydyn ni ar y ffordd droellog sy'n arwain at y pentref.'

Buon nhw'n gyrru am filltiroedd cyn iddyn nhw ddod at giât yn arwain i gae. Doedd dim ffordd o'u blaen. Daeth y car i stop. Plygodd Mam ymlaen a rhoi ei phen ar y llyw mewn anobaith.

'Aaa,' meddai Dad. 'Peidiwch â phoeni, dwi'n meddwl fy mod i'n gwybod lle'r aethon ni o'i le.'

Am naw o'r gloch, roedden nhw'n gyrru ar hyd llwybr anwastad cyn cyrraedd pen eu taith, o'r diwedd.

'Bwthyn y Blodau!' meddai Mam. 'Diolch i'r drefn!'

Tudur Budr

Gallen nhw glywed tylluan yn hwtian. Roedd
y tŷ mewn tywyllwch llwyr. Edrychai fel tŷ
mewn ffilm arswyd, yr un lle roedd y
teulu'n cael ei lofruddio.

Tudur Budr

Daethon nhw o hyd i'r allwedd o dan garreg, ac yna i mewn â nhw i'r bwthyn. Roedd llenni brown, trwm ar y ffenestri, ystyllod pren ar y llawr ac ambell gadair freichiau carpiog yn dyllau pryfed i gyd.

'Yn tydi o'n neis?' meddai Mam yn llawen.

'Clyd,' cytunodd Dad.

Pinsiodd Tudur ei drwyn. 'PWW! Mae'n drewi!'

'Mae hen dai wastad yn ogleuo fel hyn,' meddai Dad.

Suddodd Tudur i gadair. Felly, dyma ni. Roedden nhw wedi gyrru'r holl ffordd er mwyn aros mewn hen dŷ drewllyd heb deledu.

Lapiodd Siwsi ei breichiau o amgylch ei chorff. 'Mae'n oer yma!' cwynodd.

'Paid â phoeni, mi fydd hi'n gynnes ar ôl i ni roi'r gwres ymlaen,' meddai Mam.

Edrychodd yn y gegin. Roedd yno foeler hynafol mewn cwpwrdd heb unrhyw sôn am

Tudur Budr

gyfarwyddiadau sut i'w ddefnyddio. Gwasgodd
fotwm, a goleuodd golau coch.

RRRR! BONC! CLANC! Diffoddodd y
golau drachefn.

'O!' ebychodd Mam. 'Dydw i ddim yn
meddwl ei fod o'n gweithio.'

'Ta waeth,' meddai Dad. 'Mi wna i gynnau
tân. Mi fyddwn ni'n gynnes cyn pen dim.'

Hanner awr yn ddiweddarach, roedden
nhw i gyd wedi'u gwasgu at ei gilydd ar
y soffa, ac wedi'u lapio mewn blancedi. Roedd
pentwr o goed yn mygu'n damp yn y lle tân.
Y tu allan, roedd y gwynt yn cwyno.

'Dwi'n dal yn oer!' meddai Siwsi, gan swnian.

'Dwi wedi blino'n lân,' mwmialodd Mam.

'Pryd fydd swper?' holodd Tudur. 'Mi
ddywedoch chi y bydden ni'n bwyta ar ôl
cyrraedd!'

Agorodd Dad y llenni a chymryd cipolwg

Tudur Budr

drwy'r ffenest. 'Mae'n rhaid bod yna dafarn yn
y pentref,' meddai'n obeithiol.

Edrychodd Mam arno'n llym. 'Os wyt ti'n
meddwl fy mod i'n mynd yn ôl i'r car yna, mi
gei di feddwl eto,' cwynodd.

Ochneidiodd Dad. 'Hwyrach y byddai'n
well i ni fynd i'r gwely. Mi fyddwn ni i gyd yn
teimlo'n well ar ôl noson dda o gwsg.'

PENNOD 4

DONG – DONG – DONG!

Canodd cloch yr eglwys i ddweud ei bod hi'n hanner nos. Gorweddai Tudur yn y gwely bync uchaf, yn methu'n lan â chysgu. Doedd neb wedi'i rybuddio bod cefn gwlad yn gallu bod yn lle mor arswydus. Roedd pethau'n sgrechian, yn gwichian ac yn udo yn y nos. Yn waeth na hynny, roedd hi mor DYWYLL.

Tudur Budr

Roedd eu hystafell wely nhw yn dduach na bol buwch.

Hwyrach y dylai Tudur fynd a throi'r golau ar ben y grisiau ymlaen? Ond byddai hynny'n golygu mynd ALLAN YNO lle gallai pethau fod yn llechu.

CRÎC, CRÎC!

Eisteddodd Tudur yn dalsyth. Oedd rhywun yn dod i fyny'r grisiau? Hwyrach mai bwgan oedd yno neu flaidd-ddyn . . . neu efallai flaidd-fwgan! Pipiodd ei ben heibio ochr y gwely bync.

'Siwsi? Wyt ti'n effro?' hisiodd.

'Mmm?'

'Alla i ddim cysgu,' cwynodd Tudur. 'Dwi'n clywed synau.'

'Pa fath o synau?' mwmialodd Siwsi.

'Synau arswydus – fel sŵn blaidd-ddyn.'

'Does dim bleidd-ddynion yma,' meddai Siwsi. 'Dim ond yn y goedwig maen nhw'n byw.'

Tudur Budr

Trodd Tudur yn welw. Roedd yna goedwig gyferbyn â'r bwthyn ...

Y drws nesaf, doedd Mam a Dad ddim yn cael llawer o gwsg chwaith. Roedd sbrings y gwely'n twangio bob tro roedd un ohonyn nhw'n troi neu'n trosi. Roedd mwy o lympiau yn y matres nag mewn pwdin Dolig.

Tudur Budr

'MEEE! MEEE!'

Griddfanodd Dad.

'Dim ond y defaid sydd yna,' ochneidiodd Mam. 'Ry'n ni yng nghanol cefn gwlad, cofia.'

'Ydyn nhw'n mynd i gysgu o gwbl?' cwynodd Dad.

'MEEE!'

'Ddim y defaid hyn,' meddai Mam.

Claddodd Dad ei ben dan y gobennydd. Hon oedd y noson waethaf o gwsg iddo'i chael erioed. Byddai wedi cael mwy o dawelwch ar ochr y draffordd.

Gallai glywed sŵn traed yn pitran-patran ar ben y grisiau. Gwichiodd y drws yn agored. Agorodd Dad un llygad. Safai Tudur yno yn ei byjamas.

'Alla i ddim cysgu!' cwynodd.

'Nid ti ydi'r unig un,' mwmialodd Dad. 'Dos yn ôl i dy wely.'

Tudur Budr

'Mae Siwsi'n dweud bod y bleidd-ddynion am fy mwyta i,' meddai Tudur.

Griddfanodd Mam. 'Mae hi'n palu celwyddau.'

'Ga i gysgu efo chi?' ymbiliodd Tudur.

'Does dim lle!' meddai Dad.

'Dim ond am ychydig?' erfyniodd. 'Plîs?'

Ochneidiodd Mam yn ddwfn. 'O'r gorau! Ond dim gwingo!'

Twang! Neidiodd Tudur ar y gwely a swatio rhwng ei fam a'i dad.

'Nos da,' mwmialodd Mam.

Tudur Budr

'Nos da!' meddai Tudur.

Caeodd pawb eu llygaid. Pum munud yn ddiweddarach, agorodd y drws gyda gwich.

'Fedra i ddim cysgu ar fy mhen fy hun!' nadodd Siwsi. 'Ga i ddod i mewn atoch chi?'

Llifodd golau'r bore drwy'r llenni. Trodd Dad i edrych ar y cloc. Roedd hi wedi deg o'r gloch. Llusgodd ei draed tuag at y ffenest a phipian drwyddi. Y tu allan, roedd hi'n bwrw hen wragedd a ffyn, gan greu pyllau o ddŵr ar yr iard. Er hynny, doedden nhw ddim wedi dod yr holl ffordd yma i bwdu dan do. Roedden nhw wedi dod yno am lond bol o awyr iach. Agorodd Dad y llenni.

'Amser deffro! Ry'n ni am fynd am dro!'

Rhwbiodd Siwsi ei llygaid yn gysglyd. 'Oes raid i ni?'

'Mae'n bwrw glaw!' cwynodd Tudur.

Tudur Budr

'Wnaiff diferyn o law ddim ein brifo ni,' meddai Dad.

'Mae Dad yn iawn,' cytunodd Mam. 'A ph'run bynnag, ry'n ni wedi paratoi ar gyfer y math yma o dywydd. Dwi wedi pacio ein hesgidiau cerdded a'n dillad glaw. Ble roddais i'r bag hwnnw?'

O na. Llithrodd Tudur yn is yn y gwely a thynnu'r blancedi drosto wrth i Mam estyn y bag a'i agor. Rhythodd ar y cynnwys.

'Ble mae'r esgidiau cerdded?' ebychodd. 'A'r dillad glaw?'

Gwagiodd y bag ar y llawr. Ohono, disgynnodd cymysgedd o gomics, teganau a gêmau blith draphlith ar y llawr. Anadlodd Mam i mewn yn ddwfn.

'TUDUR!' gwaeddodd.

Pipiodd pen Tudur uwchben y blancedi.

'Ym . . . unrhyw un ffansi gêm o Dal y Drewgi?'

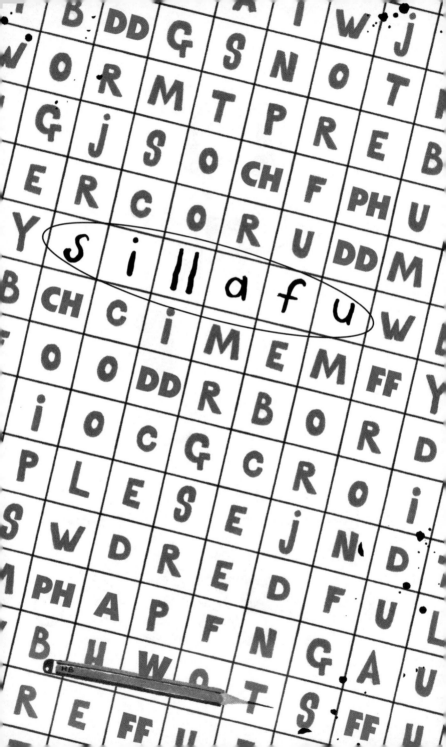

PENNOD 1

Roedd Miss Jones wrthi'n dosbarthu gwaith hanes Dosbarth 3 yn ôl i'r disgyblion. Roedd hi'n eu llygadu'n oeraidd.

'Mae'n ymddangos nad ydi rhai ohonoch chi wedi dysgu unrhyw beth o gwbl,' rhefrodd. 'Ac mae safon y sillafu o fewn y dosbarth hwn yn hollol warthus.'

Tudur Budr

Hoeliodd ei sylw ar Tudur, a oedd wrthi'n ceisio dal pensil ar flaen ei drwyn. Disgynnodd ar y llawr.

'Yn ffodus, mae cyfle i ambell un ohonoch chi ddisgleirio,' meddai Miss Jones. 'Mewn pythefnos, bydd Sialens SillafBry'r Sir yn cael ei chynnal. Pwy all ddweud wrtha i beth yw SillafBry?'

Cododd Darren ei law i'r awyr. 'Pry clyfar iawn,' meddai.

'Na, Darren,' bytheiriodd Miss Jones. 'Cystadleuaeth ydi hi. Cystadleuaeth i ddarganfod Pencampwr Sialens SillafBry'r Sir. Pwy fyddai'n hoffi bod yn bencampwr?'

Saethodd bron pob llaw i'r awyr. Tynnu ystumiau wnaeth Tudur. Pam mae ysgolion bob amser yn rhoi gwobrau am bethau na fedrai o eu gwneud? Beth am wobrau ar gyfer mynd ar nerfau athrawon neu am ddweud yr wyddor wrth dorri gwynt?

'Felly, mi fydda i'n dewis dau blentyn lwcus a fydd yn . . .'

Aeth Miss Jones ymlaen ac ymlaen. Rhoddodd Tudur y gorau i wrando. Edrychodd ar y craciau yn y nenfwd, gan ystyried tybed pa mor fuan fyddai'r cyfan yn disgyn i lawr am eu pennau.

'. . . felly, mae'n bleser gen i ddweud y byddwch chi'n cael prawf sillafu heddiw!' meddai Miss Jones.

Cododd Tudur ar ei eistedd mewn panig gwyllt. Nid *prawf sillafu*! Y tro diwethaf,

Tudur Budr

fo gafodd y marc isaf yn y dosbarth. Roedd
Miss Jones wedi gyrru nodyn adref at ei rieni
a oedd wedi bygwth rhoi stop ar ei arian
poced os nad oedd o'n gwella. Byddai'n rhaid
iddo feddwl am ffordd o gael marc da.

Deng munud yn ddiweddarach, roedd o'n
syllu'n druenus ar ei daflen atebion.

Roedd o wedi dyfalu'r rhan fwyaf o'r atebion,
er efallai fod un neu ddau yn anghywir. Ai 'u'
neu 'y' oedd yn 'Gwirion'? Cymerodd gipolwg
o gwmpas yr ystafell ddosbarth. Roedd Eifion
wrthi'n gwirio'i waith. Roedd Darren yn
dwdlo. Eisteddai Dyfan Gwybod-y-Cyfan

Tudur Budr

yn gwenu fel giât. *Mi fyddai'r sinach bach hollwybodus hwnnw'n gwybod yr atebion i gyd*, meddyliodd Tudur. Aros funud …

Roedd o newydd gael syniad campus.

'O'r gorau,' gwaeddodd Miss Jones. 'Ysgrifennwch eich enwau ar eich papurau a'u pasio nhw i flaen y dosbarth.'

'Hei, Dyfan!' hisiodd Tudur. 'Ai dy faneg di sydd ar y llawr?'

'Ble?' Trodd Dyfan yn binc. Roedd ei fam yn mynnu ei fod yn gwisgo menig i'r ysgol bob bore.

'O dan dy gadair di,' meddai Tudur.

Plygodd Dyfan ac edrych.

Tudur Budr

SHWWWP!

Cipiodd Tudur bapur atebion Dyfan.

Yn gynt na'r gwynt, ysgrifennodd Tudur ei enw ei hun arno a sgriblan enw 'DYFAN' mewn llawysgrifen fel traed brain ar ei bapur ei hun. Dylai hynny ateb ei broblem. Pasiodd y papurau ymlaen mewn pryd.

'Does dim – Hei, lle mae fy mhrawf sillafu?' crawciodd Dyfan.

'Mae'n iawn, dwi wedi'i gyflwyno fo,' gwenodd Tudur.

'Ond doeddwn i ddim wedi ysgrifennu fy enw arno!'

'Paid â phoeni, mi wnes i hynny hefyd,' meddai Tudur.

Gwgodd Dyfan. Doedd Tudur ddim mor barod ei gymwynas â hyn fel rheol. Roedd yna'n sicr ddrwg yn y caws yn rhywle.

OFNADWU

Tudur Budr

Ar ôl amser chwarae, heidiodd Dosbarth 3 yn ôl i mewn i'r ystafell. Roedd Miss Jones yn aros amdanyn nhw.

'Dwi wedi marcio eich profion sillafu a dydw i ddim wedi fy mhlesio,' meddai. 'Dydi rhai ohonoch chi ddim hyd yn oed yn gallu sillafu eich enwau. Fodd bynnag, dwi'n falch iawn o gyhoeddi fod dau ohonoch chi wedi cael marciau uchel iawn.'

Roedd Dyfan yn wên o glust i glust. Roedd o'n siŵr o fod ar y brig.

'Dona, fe gefaist ti gyfanswm o 17 allan o 20 – ardderchog,' meddai Miss Jones. 'Ond fe

Tudur Budr

lwyddodd un o'r dosbarth i gael marciau llawn, sef . . .'

Llyncodd ei phoer yn galed. 'Sef . . . ym, Tudur.'

Ebychodd pawb a throi i edrych arno.

'TUDUR?' udodd Dyfan mewn syndod.

'Diolch, Dyfan,' meddai Miss Jones.

'Ond Miss, fe gefais i bob un yn –'

'DYNA DDIGON, DYFAN!' taranodd Miss Jones. 'Fel mae'n digwydd, ti gafodd y marc isaf yn y dosbarth. Gallet ti ddysgu ambell beth o waith caled Tudur.'

Trodd Tudur i edrych arno, a thynnu ei dafod.

Aeth Miss Jones yn ei blaen. 'Felly, mae gennym ni ddau geffyl blaen: Dona a Tudur. Nhw fydd yn cystadlu yn Sialens Sillaf Bry'r Sir yr wythnos nesaf.'

Bu bron i Tudur dagu. *Beth*? Fo – yn y Sialens Sillaf Bry? Allai Miss Jones ddim bod o ddifri! Pryd gafodd hyn ei benderfynu?

'Ond, Miss . . .' poerodd Tudur. 'Alla i ddim!'

Tudur Budr

'Nonsens!' twt-twtiodd Miss Jones.

'Mae gen i alergedd i sillafu. Dwi'n cael
smotiau cochion drosta i, bob tro,' meddai
Tudur.

'Paid â siarad trwy dy het,' atebodd Miss
Jones. 'Ti gafodd y marciau gorau yn y
dosbarth, felly fe fydda i'n disgwyl canlyniadau
gwych gennyt ti. Ydi hynny'n glir, Tudur?'

Nodiodd Tudur ei ben yn ddigalon. Roedd
o wedi cael ei ddal mewn cyfyng gyngor sawl
gwaith o'r blaen, ond sut ar wyneb y ddaear
oedd o am ddod drwyddi y tro yma?

PENNOD 2

Y noson honno, wrth y bwrdd bwyd, torrodd Tudur y newyddion dychrynllyd i'w rieni.

'Sialens Sillaf Bry?' gwgodd Dad. 'Onid oes angen i ti fod yn dda am sillafu i wneud rhywbeth felly?'

'Oes!' cwynodd Tudur.

'Felly pam wnaethon nhw dy ddewis di?' gwenodd Siwsi.

Tudur Budr

'Dim syniad, camgymeriad o ryw fath!'
meddai Tudur.

Allai o ddim cyfaddef ei fod wedi twyllo
mewn prawf sillafu.

'Wel, mae'n rhaid bod dy sgiliau sillafu di
wedi gwella'n fawr,' meddai Mam. 'Mae
hynny'n wych, Tudur.'

'Ond, fedra i ddim cystadlu yn y Sialens
SillafBry!' llefodd Tudur. 'Mi fydd hi'n ofnadwy!'

'Wrth gwrs na fydd hi,' meddai Mam. 'Gwna
dy orau, dyna i gyd.'

'Dydych chi ddim yn deall, dwi'n warthus
am sillafu!'

'Wel, dydi Miss Jones ddim yn meddwl
hynny,' meddai Dad. 'A ph'run bynnag, mi fydd
hyn yn rhoi rheswm da i ti fynd ati i ddysgu'r
geiriau.'

'Fedra i ddim eu dysgu nhw i gyd!' ebychodd
Tudur. 'Mae yna filiynau ohonyn nhw!'

'Fe wnawn ni dy helpu di,' meddai Mam.

Tudur Budr

'Fe wnawn ni greu rhestr o ugain gair y noson i ti ddysgu sut mae eu sillafu.'

Roedd Tudur yn gegagored. Sillafu ugain gair bob nos? Byddai hynny'n cymryd am byth iddo! Byddai'n rhaid iddo roi'r gorau i wylio'r teledu ac i fwyta prydau bwyd! A beth bynnag, doedd dim angen *mwy* o waith sillafu arno, roedd o'n gwneud digon o hynny yn yr ysgol! Bai Dyfan Gwybod-y-Cyfan oedd hyn i gyd. Petai o'n llai clyfar, fyddai hyn erioed wedi digwydd!

GWUYRION

Daeth diwrnod Sialens y Sillaf Bry. Safai Tudur gyda'r cystadleuwyr eraill mewn ystafell fach wrth y neuadd yn Ysgol Sant Mihangel. Roedd y neuadd yn prysur lenwi gyda disgyblion cyffrous o holl ysgolion y sir. Byddai'n llawer gwell gan Tudur fod yn eistedd yn y gynulleidfa, gyda'i ffrindiau. Roedd ei wrthwynebwyr yn

edrych fel lliprynnod diflas a pheniog. Roedden nhw'n edrych fel petaen nhw'n sillafu yn eu cwsg.

'Wyt ti'n iawn, Tudur?' holodd Dona, wrth ddod tuag ato. 'Dwyt ti ddim yn edrych yn iach.'

'Dwi'n iawn,' atebodd Tudur. 'Dim ond cystadleuaeth sillafu ydi hi. Pwy fyddai'n poeni am hynny?'

'Miss Jones,' meddai Dona. 'Ond, cyn belled nad ydyn ni allan o'r gystadleuaeth ar ôl y rownd gyntaf.'

'Beth wyt ti'n feddwl?' gofynnodd Tudur.

Tudur Budr

Edrychodd Dona arno. 'Doeddet ti ddim yn gwybod? Os gei di un gair yn anghywir, rwyt ti allan.'

'ALLAN?' ebychodd Tudur. 'Dim cliwiau, nac ail gyfle?'

Ysgydwodd Dona ei phen. 'Dyna'r rheolau. Un camgymeriad, ac mi fydd hi ar ben arnat ti.'

Llyncodd Tudur ei boer. Roedd y Sialens SillafBry yma'n swnio'n filain! Beth petai o'n cael ei daflu allan yn ystod y rownd gyntaf? Byddai Miss Jones yn mynd yn benwan. Byddai'n gwneud profion sillafu am weddill ei fywyd!

Teimlodd rywun yn rhoi ei law ar ei ysgwydd.

'Fi sy 'ma,' meddai Eifion. 'Wedi dod i ddymuno lwc dda i ti!'

Tynnodd Tudur o i un ochr.

'Eifion, mae'n rhaid i ti fy helpu i!' ymbiliodd. 'Fedra i ddim mynd i sefyll ar y llwyfan acw, mi fydda i'n edrych fel ffŵl.'

'Rwyt ti *yn* ffŵl,' gwenodd Eifion.

Tudur Budr

Llusgodd Tudur o i doiledau'r bechgyn, cyn cau'r drws ar eu holau.

'Gwranda, mae'n rhaid i mi ddweud rhywbeth wrthot ti,' meddai. 'Fe wnes i dwyllo yn ystod y prawf sillafu. Fe wnes i newid papur gyda Dyfan Gwybod-y-Cyfan.'

'WNEST TI DDIM!' ebychodd Eifion. 'Ydi Miss Jones yn gwybod?'

'Wrth gwrs nad ydi hi'n gwybod, dyna pam mae hi wedi fy newis i ar gyfer y gystadleuaeth!' cwynodd Tudur.

'Wel, beth wyt ti am ei wneud?' holodd Eifion.

Tudur Budr

'Rwyt ti'n dda am sillafu,' meddai Tudur. 'Mi fydd yn rhaid i ti fy helpu i.'

'Fi?' gwaeddodd Eifion. 'Alla i ddim! Mi fydda i yn y gynulleidfa.'

'Yn union,' meddai Tudur. 'Felly fydd neb yn gwybod. Does dim rhaid i ti siarad hyd yn oed, dim ond rhoi cliw i mi.'

'Fel beth?' holodd Eifion.

Crafodd Tudur ei ben. 'Er enghraifft, os mai "O" ydi'r llythyren i fod, gwna siâp cylch gyda dy geg.'

'Beth os mai "Ch" ydi'r llythyren?' holodd Eifion.

'Dwi ddim yn gwybod, meddylia am rywbeth!' llefodd Tudur.

Edrychai Eifion yn boenus. 'Wnaiff hyn ddim gweithio. Bydd Miss Jones yn gwylio. Beth os cawn ni'n dal?'

'Chawn ni ddim ein dal,' meddai Tudur. 'Plîs, Eifion, ti yw fy unig obaith!'

PENNOD 3

Eisteddai'r cystadleuwyr ar y llwyfan â rhif yn
sownd i'w dillad. Roedd Tudur yn gwisgo'r rhif
tri ar ddeg. Syllodd yn nerfus ar y gynulleidfa.
Roedd Miss Jones yn y drydedd res. Eisteddai
Dyfan Gwybod-y-Cyfan wrth ei hochr, yn
tynnu ystumiau arno. Gwelodd Eifion yn
eistedd wrth ymyl Darren ychydig o resi y tu
ôl iddyn nhw.

Tudur Budr

Cerddodd y ferch a wisgai'r rhif un y daith hir tuag at y microffon. Safai yno'n grynedig o dan y golau sbot. Daeth llais mawr y Darllenydd dros bob man, a chyhoeddi gair roedd angen iddi ei sillafu.

'CWMWL. Roedd sawl cwmwl yn yr awyr. CWMWL.'

Gwichiodd y ferch yn dawel. Caeodd ei llygaid yn dynn.

'C-W ...' dechreuodd. 'Ym ...' Aeth yn dawel am eiliad cyn rhuthro drwy'r gweddill. 'M-M-W-L. CWMMWL.'

Tudur Budr

Aeth distawrwydd llethol drwy'r neuadd.

'Mae'n ddrwg gen i,' taranodd llais y Darllenydd. 'Rwyt ti'n anghywir. Diolch am gystadlu.'

'Bww-hww-hww!' Rhedodd y ferch oddi ar y llwyfan yn beichio crio.

Gwyliodd Tudur y plant eraill yn ymlwybro tua blaen y llwyfan, un ar ôl y llall. Yn sydyn, gallai deimlo penelin Dona yn ei bwnio yn ei ochr. O na! Ei dro ef oedd nesaf!

Tudur Budr

Cerddodd yn drwsgl at flaen y llwyfan gan faglu dros wifren a tharo yn erbyn y microffon. Chwarddodd y gynulleidfa. Rhwbiodd Tudur ei ben.

'GWIRION,' gwaeddodd y Darllenydd. 'Un gwirion yw'r clown. GWIRION.'

Griddfanodd Tudur. Roedd o wedi gobeithio cael gair hawdd fel CI neu CATH. Syllodd ar Eifion, a oedd wedi cochi ac wedi suddo yn ei gadair.

'G!' gwaeddodd Tudur, gan fyddaru'r rhes flaen. Gwenodd Eifion.

'G . . . ym,' meddai Tudur. G-W- beth nesaf? Doedd ganddo mo'r syniad lleiaf. Rholiodd Eifion ei lygaid a chrychu ei wyneb gan ddechrau neidio i fyny ac i lawr yn ei sedd.

'GWALLGOF!' llefodd Tudur.

'Mae'n ddrwg gen i?' meddai'r Darllenydd.

Ysgydwodd Tudur ei ben. Doedd Gwallgof ddim yn llythyren. Beth ar wyneb y ddaear oedd Eifion yn ceisio'i ddweud? Roedd o'n gwingo'n aflonydd fel petai o angen mynd i'r tŷ bach. *Dyna ni*, meddyliodd Tudur. *Mae o fel petai eisiau mynd i'r tŷ bach am wi-wi. Ie! WI!*

'G-W-I . . .' meddai Tudur. Roedd o bron â llwyddo. '. . . R-I-O-N. GWIRION.'

'Cywir!'

Curodd y gynulleidfa eu dwylo. Bu bron i Tudur lewygu o ryddhad. Sychodd Miss Jones y chwys oddi ar ei thalcen. Moesymgrymodd Tudur, gan daro'r microffon unwaith eto, cyn brasgamu'n ôl i'w sedd. Doedd sillafu ddim mor anodd â hynny. A dweud y gwir, roedd o'n cael hwyl dda arni. Gyda help llaw gan Eifion, gallai ennill, hyd yn oed!

PENNOD 4

Ar ôl yr egwyl daeth pedwar plentyn i gefn y llwyfan ar gyfer y rownd derfynol. Roedd Dona allan o'r gystadleuaeth, ond er syndod i bawb, roedd Tudur yn dal i mewn. Roedd o wedi sillafu deg gair yn gywir – hyd yn oed 'Llysieuyn' – gair nad oedd o byth yn ei ddefnyddio. Nawr, tri yn unig oedd yn ei erbyn. Byddai un ohonyn nhw'n cael ei wobrwyo'n

Tudur Budr

bencampwr Sialens SillafBry'r Sir. Taflodd
Tudur gipolwg ar y gwpan arian oedd ar un
ochr i'r llwyfan. Dychmygodd wyneb Dyfan
Gwybod-y-Cyfan wrth iddo'i dangos i bawb
yn ystod y gwasanaeth boreol.

Roedd Miss Jones wrthi'n ymwthio rhwng
rhesi o gadeiriau i gyrraedd ei sedd. Aros
funud . . . roedd hi wedi symud! Roedd hi'n
eistedd yn y sedd nesaf at Eifion! Aeth Tudur
yn oer. Roedd hyn yn ofnadwy! Sut oedd
disgwyl i Eifion ei helpu
gyda Miss Jones yn
eistedd nesaf ato?

Tudur Budr

Dechreuodd y rownd derfynol. Sillafodd Gwydion, Hefina ac Indeg eu geiriau'n gywir. Yna, daeth tro Tudur. Llusgodd ei hun at y microffon. Syllodd ar y rhesi o wynebau, gan deimlo'n benysgafn. Roedd Miss Jones yn cadw llygad barcud arno. Plîs, plîs, gadewch iddo fod yn air hawdd, gweddïodd Tudur.

'ANARFEROL,' taranodd llais y Darllenydd.

Tudur Budr

Safodd Tudur yno'n gegagored. 'Anarferol?'
Pa fath o air oedd hwnnw? Roedd bron i
filiwn o lythrennau ynddo! Edrychodd i
gyfeiriad Eifion am gymorth. Ond ysgydwodd
Eifion ei ben. Roedd Tudur ar ei ben ei hun.
*Meddylia – beth oedd llythyren gyntaf
'anarferol'?*

'AAAYYYNNN . . .' mwmialodd.

'Pardwn?' meddai'r Darllenydd. 'Siaradwch
yn glir.'

Sychodd Tudur y chwys
oddi ar ei dalcen.
Hwyrach y gallai
ffugio llewygu?

'Mi fydd yn rhaid i
mi eich brysio chi,'
meddai'r Darllenydd.

Anadlodd Tudur yn ddwfn.
Doedd dim amdani ond dyfalu.

Tudur Budr

'A-N . . .' dechreuodd. 'N-A-E-R-F-E-R-E-O-L.
ANNAERFEREOL.'

'Mae'n ddrwg gen i, dydi'r sillafiad
ddim yn gywir,' meddai'r
Darllenydd.

Griddfanodd Miss Jones
a chladdu ei phen yn ei
dwylo. Ochneidiodd
Tudur. Roedd o wedi trio
ei orau glas.
Moesymgrymodd, gan
daro'r microffon â'i
ben, eto.

YSCOL

Ar ddiwedd y dydd, ymunodd Tudur a Dona
â gweddill eu dosbarth yn y neuadd.

'Da iawn, Dona,' meddai Miss Jones.
'Fe wnest ti'n arbennig o dda.'

Tudur Budr

'Beth amdana i?' holodd Tudur.

'Fe gyrhaeddais i'r rownd derfynol.'

'Do, wir,' meddai Miss Jones. 'Tynnodd Dyfan fy sylw i at y ffaith dy fod ti'n edrych ar Eifion drwy'r adeg.'

'Oeddwn i?' holodd Tudur yn ddiniwed, gan wrido.

'Oeddet,' atebodd Miss Jones yn oeraidd. 'Bob tro roeddet ti ar goll!'

'Ym, wel . . .' mwmialodd Tudur.

'Dyna pam y symudais i eistedd mewn sedd wahanol ar ôl yr egwyl,' aeth Miss Jones yn ei blaen. 'Yna, yn rhyfedd iawn, dirywiodd dy sillafu di'n ofnadwy. Pam, tybed?'

'Ym . . . anlwcus, mwy na thebyg,' mwmialodd Tudur.

Culhaodd llygaid Miss Jones. 'Hmm. Os daw hi i'r amlwg dy fod ti wedi bod yn twyllo, Tudur, fe fydd hi'n ddrwg *iawn* arnat ti.'

Trodd ar ei sawdl a brasgamu i ffwrdd.

Tudur Budr

Llyncodd Tudur ei boer. Gobeithiodd
y byddai ei gyfrinach yn saff gydag Eifion –
fel arall byddai mewn T-R-W-B-W-L.
TRWBWL!